C'ÉTAIT CE JO

12

août

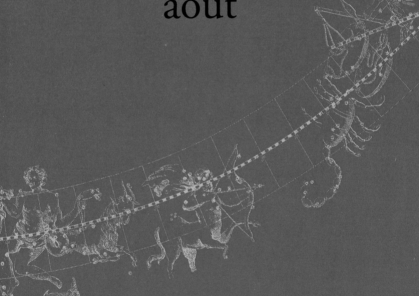

VOTRE ARBRE GÉNÉALOGIQUE

Arrière-grand-père

Arrière-grand-mère

Arrière-grand-père

Arrière-grand-mère

Grand-mère

Grand-père

JE SUIS NÉ(E)

Jour : ....

Année : ....

Heure : ....

Ville : ....

Pays : ....

Maman

Moi

MON POIDS

....

MA TAILLE

....

4

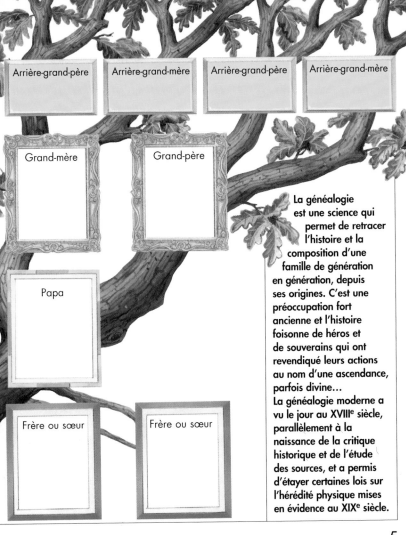

Arrière-grand-père

Arrière-grand-mère

Arrière-grand-père

Arrière-grand-mère

Grand-mère

Grand-père

Papa

Frère ou sœur

Frère ou sœur

La généalogie est une science qui permet de retracer l'histoire et la composition d'une famille de génération en génération, depuis ses origines. C'est une préoccupation fort ancienne et l'histoire foisonne de héros et de souverains qui ont revendiqué leurs actions au nom d'une ascendance, parfois divine… La généalogie moderne a vu le jour au XVIIIe siècle, parallèlement à la naissance de la critique historique et de l'étude des sources, et a permis d'étayer certaines lois sur l'hérédité physique mises en évidence au XIXe siècle.

5

L'ORIGINE DES CALENDRIERS

L a nécessité d'avoir des repères fiables dans le temps conduisit les Anciens à observer le mouvement des astres afin d'établir une périodicité. Grâce à la régularité du déplacement du Soleil, les hommes eurent très tôt une mesure du temps : le jour. Puis en observant le retour du Soleil à la même place sur l'horizon terrestre, ils en trouvèrent une autre : l'année, qui correspond environ à 12 évolutions de la Lune dans le ciel. L'année fut donc découpée en 12 mois. Autant de divisions qui permirent d'établir un calendrier, qui règle la vie des hommes depuis 4 000 ans… Certains peuples fondent leur calendrier sur l'évolution du Soleil, d'autres sur celle de la Lune.

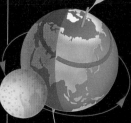

La rotation de la Terre sur elle-même est de 24 h : c'est la journée. La Lune met environ 29 jours et demi pour

faire le tour de la Terre : c'est le mois lunaire, celui qui connaît le plus de variations. La Terre, elle, met 365 jours, 6 h et 9 min pour faire sa rotation autour du Soleil : c'est l'année solaire.

La Terre tourne sur elle-même et gravite autour du Soleil.

Ce sont les Égyptiens qui établirent le premier calendrier solaire de 365 jours. L'omission des 6 h 9 mn entraîna un décalage par rapport aux saisons. En 238 av. J.-C. on instaura le principe du jour supplémentaire,

La Terre est l'une des 9 planètes qui circulent autour d'une étoile, le Soleil, et forment le système solaire. Le Soleil est un globe ardent de gaz chauds d'un diamètre 109 fois plus grand que celui de la Terre. Ce n'est qu'une étoile parmi les 100 milliards d'étoiles qui forment notre galaxie, mais c'est la plus proche de la Terre.

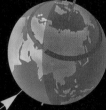

qui permettait de rétablir ce retard. Le calendrier imposé par Jules César systématisait ce principe en instaurant une année bissextile tous les 4 ans. Le décalage de 9 min qui subsistait fut l'objet de la réforme grégorienne de 1582.

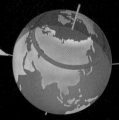

Les saisons sont inversées dans les 2 hémisphères.

7

LES CONSTELLATIONS DU ZODIAQUE

Au cours d'une année, le Soleil fait le tour du ciel en traversant 12 constellations, toujours les mêmes. La plupart d'entre elles ayant été baptisées de noms d'animaux par les Grecs, elles forment le cercle dit du zodiaque, qui signifie "figure animalière". Le Soleil reste 1 mois dans chacune d'elles et détermine le signe astrologique. Aujourd'hui, une constellation désigne une région du ciel et non uniquement un dessin, les astronomes ayant divisé le ciel en 88 constellations.

A force d'observer le ciel, les Anciens notèrent que certains groupes d'étoiles, dont ils se servaient pour s'orienter, dessinaient des figures auxquelles ils s'empressèrent de donner des noms de héros mythologiques ou d'animaux. Ainsi naquirent les constellations, dont les motifs n'ont guère changé depuis 4 000 ans. Ils remarquèrent que, comme le Soleil et la Lune, certains astres se déplaçaient parmi les constellations du zodiaque et les baptisèrent planètes, qui signifie "vagabond" en grec. Les Anciens ne connaissaient que 5 planètes visibles à l'œil nu : Mercure, Vénus, Mars, Jupiter et Saturne. Uranus, Neptune et Pluton, furent découvertes beaucoup plus tard.

LE ZODIAQUE

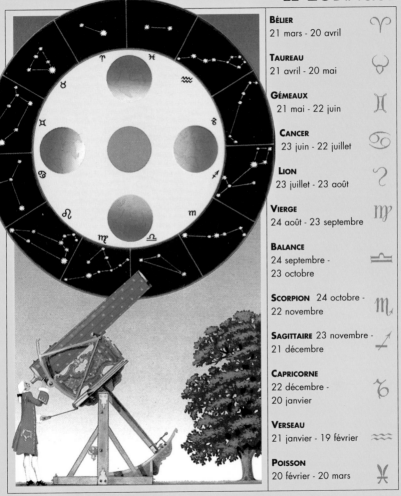

BÉLIER
21 mars - 20 avril

TAUREAU
21 avril - 20 mai

GÉMEAUX
21 mai - 22 juin

CANCER
23 juin - 22 juillet

LION
23 juillet - 23 août

VIERGE
24 août - 23 septembre

BALANCE
24 septembre -
23 octobre

SCORPION 24 octobre -
22 novembre

SAGITTAIRE 23 novembre -
21 décembre

CAPRICORNE
22 décembre -
20 janvier

VERSEAU
21 janvier - 19 février

POISSON
20 février - 20 mars

L'INFLUENCE DES PLANÈTES

Chaque planète a des propriétés spécifiques, tout comme les signes du zodiaque sur lesquels elles sont censées exercer une influence déterminante. Mars régit le signe du Bélier, Pluton le Scorpion, Vénus le Taureau et la Balance ; tandis que Saturne domine le Capricorne, Mercure la Vierge et les Gémeaux, Jupiter le Sagittaire, Neptune les Poissons et Uranus le Verseau. Le Soleil, qui est au centre de notre système solaire, fut adoré par de nombreuses civilisations anciennes. Il régit le signe du Lion, le "roi des signes", tandis que le Cancer est sous la tutelle de la Lune.

Les astronomes mésopotamiens et grecs de l'Antiquité observaient minutieusement les déplacements des "astres errants" dans les constellations du zodiaque : le Soleil, la Lune, Mars Mercure, Vénus, Jupiter et Saturne. Ils avaient noté que deux d'entre eux, le Soleil et la Lune, influençaient les phénomènes naturels : l'alternance des jours et des nuits, des saisons et des marées. Croyant que les astres

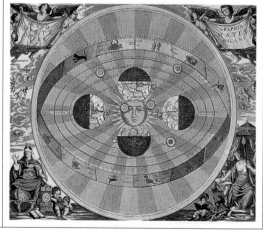

Les 9 planètes
du système solaire

pouvaient aussi guider le cours des
événements humains, ils attribuèrent
une influence à chaque constellation
du zodiaque et à chaque planète.
Mars fut associé à la guerre en raison
de sa couleur rouge et Saturne à la
sagesse, pour sa lenteur. Ainsi sont
nés l'astrologie et l'horoscope : selon
la position que les planètes occupent
les unes par rapport aux autres dans le
ciel au moment précis de la naissance
d'un individu, elles influent sur son
caractère et son destin.

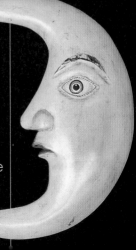

NÉ SOUS LE SIGNE DU LION

Tel l'astre rayonnant qui le gouverne, le Lion sait transmettre sa superbe énergie aux autres et les entraîner dans son mouvement, manifestant de la sorte une générosité naturelle. Son altruisme le pousse tout autant à prodiguer des bienfaits qu'à en attendre une reconnaissance appuyée. Il fuit les sentiments médiocres et les mesquineries.

Le Lion est le cinquième signe du zodiaque. Signe fixe de feu, gouverné par le Soleil, il est masculin et diurne. Il incarne l'orgueil, l'ambition, la générosité.

23 JUILLET - 23 AOÛT

Puissance et gloire, voilà bien ce que recherchent spontanément les Lions, qui jouissent de l'orgueilleuse certitude de figurer parmi les meilleurs. C'est pourquoi ils se plaisent tant à briller et ne doutent pas un seul instant de leur réussite. À cette absolue confiance en leurs capacités, ils ajoutent une certaine ingénuité qui les prédispose à prêter une oreille complaisante aux flatteurs.

Le Lion se révèle dans l'épreuve. Quand il chute, il fait preuve de sang-froid mais il lui tarde de se relever car il déteste les situations d'infériorité. Chaque signe est associé à un animal, une pierre, une couleur… Les couleurs du Lion, sont le jaune d'or et l'orange ; ses pierres précieuses le diamant et l'œil de tigre, ses animaux le puma, le tigre et, bien sûr, le lion. Sa fleur est le tournesol et son jour le dimanche.

LES CÉLÉBRITÉS DU DÉCAN

Chaque décan a ses particularités qui influent sur le caractère des personnes nées au cours de ces 10 jours. Le second décan du Lion est associé à la constellation de la Coupe. Actif, insatiable, le natif du décan rayonne d'ambition, d'orgueil et de puissance mystérieuse. Le cinéaste Alfred Hitchcock (13 août 1899) se révéla le grand maître du suspense par des films policiers qui ne montraient jamais de violence. Son confrère Cecil B. De Mille (12 août 1882), cofondateur de la future Paramount, réalisa les plus grandes épopées du cinéma. Infatigable, le président cubain **Fidel Castro** (13 août 1926, page de droite) tenta 2 coups d'État, et 1 débarquement à Saint-Domingue, avant de réussir à prendre le pouvoir, en 1959.

Les natifs de ce décan du Lion sont aussi capables de dérision. Avec un mélange d'humour et d'angoisse, **Andy Warhol** (ci-contre, 6 août 1928), artiste du pop art, ébranla le milieu de l'art contemporain. Par l'usage de la monochromie, de formes inspirées de la bande dessinée, d'objets de la vie courante et des sérigraphies, il tourna en dérision l'esthétique conventionnelle. **Guy de Maupassant** (page de droite, 5 août 1850), formé et influencé par l'ami de sa mère Gustave Flaubert, partagea sa vie entre l'écriture et ses nombreuses conquêtes féminines. Ses contes et romans, tels que *Boule-de-Suif*, *Une vie* ou *Bel-Ami*, tracent des portraits

capables de libérer des remords, de la société, voire de la mort. Quand les Lions du 2ᵉ décan imposent leur pouvoir, c'est avec charisme et séduction. La belle Néerlandaise surnommée Mata Hari (7 août 1876) était célèbre pour ses danses javanaises et balinaises avant d'être accusée d'espionnage, en 1917.

cinglants de la société et révèlent son angoisse devant l'absurde. Romantique à l'extrême, le poète anglais **Percy Bysshe Shelley** (en haut, à droite, 4 août 1792) commença sa carrière en publiant *La Nécessité de l'athéisme*, qui lui valut d'être exclu d'Oxford et renié par son père. Il enleva ses 2 épouses successives et devint un ardent défenseur de l'amour et du couple, seuls

L'acteur Dustin Hoffman (8 août 1937) révèle à l'écran un charme discret, prégnant, tout comme le

tennisman Pete Sampras (12 août 1971). **Louis Armstrong** (page de gauche, 4 août 1900) électrisait les foules par sa voix rauque de chanteur de charme et par ses exceptionnels talents de trompettiste. Maître de l'improvisation, il enrichit la gamme et les rythmes du jazz, réalisant des solos limpides avec une vitesse

d'exécution jusque-là inconnue.

15

LA PERSONNALITÉ DU JOUR

Ce 12 août 1831 naissait à Iekaterinoslav, en Russie, Elena Petrovna Blavatsky. Fondatrice de la Société théosophique, initiée aux doctrines orientales, elle se voulut une missionnaire des sciences ésotériques et parcourut tous les continents pour faire la démonstration de ses dons de médium. Elle exposa ses conceptions dans plusieurs ouvrages qui font aujourd'hui référence pour l'étude du spiritisme : *Isis dévoilée* (1877), *La Doctrine secrète* (1888) et *La Voix du silence* (1889).

À 16 ans, Elena fut mariée par sa famille à un officier de l'armée impériale âgé de 73 ans. Elle abandonna bientôt cet époux trop casanier pour découvrir le monde

The Secret Doctrine
H. P. Blavatsky

et parcourut ainsi l'Amérique du Sud, l'Afrique, l'Extrême-Orient, l'Inde et le Tibet. De retour en Russie en 1858, elle déclara avoir été initiée aux arcanes du bouddhisme et être capable d'entrer en contact avec ses maîtres spirituels. Elle fit alors

ELENA PETROVNA BLAVATSKY

sensation dans la bonne société au cours de séances de spiritisme. Sa réputation de médium grandit et, en 1870, elle repartit en Amérique où elle se produisit au Mexique, au Canada et au Texas. En 1875 Elena rencontra un avocat américain, le colonel Olcott, avec qui elle fonda à New York la Société théosophique. Son programme était

ambitieux : établir une fraternité universelle, développer les pouvoirs spirituels inexplorés de

l'humanité et encourager l'étude des religions, de la philosophie et des sciences sous cet angle inédit. Ses ouvrages, qui critiquaient le rationalisme scientifique du temps, eurent un grand retentissement et lui valurent de nombreux adeptes dans le monde entier : quand elle mourut en 1891, plus de 100 000 personnes suivirent son cortège funèbre.

17

En ce jour de 1896 s'amorce ce qui allait aboutir à la ruée **vers l'or du Klondike** (ci-dessus). Un jeune Américain du nom de George Camack, sa femme indienne et les 2 frères de celle-ci entreprennent un voyage d'agrément le long de la rivière. C'est presque par hasard qu'ils découvrent de l'or et ils en gardent le secret l'année entière. Mais la nouvelle finit par se répandre. Des milliers de gens quittent leur maison et se ruent vers l'Alaska.

En 1900, ils sont déjà 100 000 prospecteurs. Beaucoup succomberont au froid et à la misère, pendant que seulement quatre pour cent d'entre eux trouveront de l'or. Aujourd'hui, en 1949, **Big Ben** (ci-contre), la fameuse horloge de la tour de Westminster, à Londres, accusa un inconcevable retard de 4 min. Il s'avéra qu'un couple d'hirondelles avait construit son nid dans le mécanisme, provoquant son ralentissement.

Les Beatles entament une tournée aux États-Unis, qui se révèle désastreuse, ce 12 août 1966. En effet, la remarque de John Lennon "Nous sommes à présent plus populaires que Jésus-Christ", faite devant un journaliste anglais avant leur départ, déchaîne la colère des chrétiens fondamentalistes américains qui lancent une campagne contre le groupe. Leurs concerts sont boycottés et leurs disques brûlés.

Batman, le film, adapté de la bande dessinée du même nom, sort sur les écrans de cinéma, ce jour de 1989. Dans le rôle du célèbre héros masqué, Michael Keaton affronte Jack Nicholson, en joker

supérieur des services secrets de la marine britannique, durant la Seconde Guerre mondiale. En revanche, le véritable James Bond était un ornithologue, dont un ouvrage se trouvait alors sur le bureau de Fleming tandis qu'il cherchait un nom pour son héros. C'est aussi ce jour, mais en 1813, que l'**Autriche déclare la guerre** à **Napoléon** (ci-dessous), conflit qui se soldera par la défaite de l'empereur à Leipzig, en octobre. L'Europe entière avait profité de l'affaiblissement de l'Empereur, à la suite de sa désastreuse campagne de Russie, en 1812, et précipita sa chute en infligeant à la Grande Armée la perte de plus de 320 000 soldats.

démoniaque, pour sauver la cité de Gotham de l'anathème. C'est un tel succès commercial que le diabolique duo réalisera une suite 3 ans plus tard. **Ian Fleming** (ci-dessus), auteur des célèbres romans d'espionnage *James Bond*, meurt ce 12 août 1964. Pour créer son très distingué agent secret 007, il n'eut qu'à puiser dans son expérience d'officier

L'ÉVÉNEMENT DU JOUR

En 1893, la première réalisation d'Henry Ford était un engin d'aspect bizarre composé de 4 roues de bicyclette, d'un moteur 2 cylindres à refroidissement par eau, d'un siège de buggy placé entre les roues, d'un réservoir à essence en dessous et de 2 embrayages. Ce "quadricycle" atteignait les 16 km/h. Ford réussit à le vendre 200 $, qu'il investit dans le développement d'un modèle plus élaboré. En 1899, il fonde avec d'autres hommes d'affaires la Detroit Automobile Company, puis, en 1903, sa propre entreprise : la Ford Motor Company. Lorsqu'en 1908, on lui demanda quelles couleurs seraient disponibles pour sa Ford modèle T, il répondit par cette célèbre boutade : "Vous pouvez avoir toutes les couleurs que vous souhaitez du

LANCEMENT DE LA PRODUCTION EN SÉRIE

Le 12 août 1908, la chaîne de montage de la Ford modèle T est mise en service dans l'usine Ford de Detroit. La célèbre "Lizzie", véhicule simple, léger, conçu pour la construction en série et bon marché, représente la quintessence de la philosophie d'Henry Ford, pionnier de l'industrie automobile américaine et inventeur, en 1917, du "convoyeur", la chaîne qui permet une production massive.

moment que c'est du noir !" La voiture obtint néanmoins très vite

un grand succès et 15 millions d'exemplaires furent construits entre octobre 1908 et mai 1927. L'entreprise, qui en 1908, valait 2 millions de dollars, était estimée à près de 673 millions en 1928 !

LES INVENTIONS D'AOÛT

La première **machine à coudre** à usage domestique (ci-dessous) fut mise au point par l'Américain Isaac Merrit Singer. Il créa peu après une usine pour commercialiser son invention et fit fortune, malgré le long et coûteux procès qui l'opposa à son compatriote Elias Howe.

C haque mois de l'année a vu naître son lot d'inventions qui, chacune à sa façon, transforme le cours

de notre vie quotidienne. Août ne fait pas exception... Le 17 août 1877, quelques mois seulement après l'invention du téléphone (ci-dessus) par Graham Bell, le tout premier **central téléphonique** voyait le jour sur la côte est des États-Unis : créé par Isaac D. Smith et ne comptant guère plus d'une centaine d'abonnés, ce service était initialement destiné aux médecins, qui pouvaient ainsi échanger avec leurs confrères tous renseignements concernant leurs patients. Le premier **funiculaire** américain (ci-dessus) fut mis en service à San Francisco le 1er août 1873 et connut aussitôt un très grand succès. Ce petit train mû par un câble sans fin se révélait en effet particulièrement bien adapté aux collines escarpées de la cité californienne. Le premier transport public par funiculaire avait été inauguré à Lyon en 1862, tandis que le célèbre funiculaire de Montmartre ne verra le jour qu'en 1900.

Ce dernier avait en 1846 pris un brevet pour une machine qui était toutefois beaucoup moins perfectionnée. Mais ils avaient tous deux eu un précurseur en la personne de Barthélemy Thimonnier, tailleur français qui inventa en 1830 la toute première machine à coudre (à cadre en bois) permettant une couture continue à un seul fil.

C'est le 26 août 1346, à la bataille de Crécy, que les premiers **canons**, appelés bombardes (à droite), firent leur apparition sur les champs de bataille.

Grâce à ces machines lançant des boulets de pierre, les Anglais semèrent la panique dans les rangs français, mais durent néanmoins leur victoire à la supériorité de leurs archers. Le 29 août 1831, devant les membres de la Royal Institution de Londres, Michael Faraday faisait une démonstration du premier transformateur électrique. Après des essais peu concluants de vélocipèdes à vapeur (1868-1870), le premier cycle à moteur fonctionnant au pétrole fut construit

le 29 août 1885 par l'Allemand August Daimler. Mais le terme de "motocyclette" sera inventé en 1901 par 2 Français, les frères Eugène et Michel Werner.

Le 12 août 1865, le chirurgien britannique Joseph Lister (ci-dessus) fit accomplir un grand pas à la médecine en pratiquant l'**asepsie opératoire**, méthode déjà prônée par l'Autrichien Semmelweiss, qui n'avait pas réussi à imposer ses vues.

Au rythme des saisons

Dans le monde entier, l'été est la saison féconde par excellence. Sous les latitudes tempérées, c'est l'époque des moissons. On remplit les silos. Partout l'on s'active, malgré la chaleur et les insectes bourdonnants, pour engranger céréales et graminées. Dans le Grand Nord, l'été est court, mais intense. Le jour n'en finit plus et le Soleil ne passe que des nuits blanches. En trois mois à peine, le grand cycle de la vie s'accomplit dans la toundra.

L'été, la végétation arrive à maturité. Plantes sauvages ou cultures vivrières se disputent l'espace. Le moment est venu de récolter. Le blé, l'orge et le seigle produiront la farine. Selon la tradition, la dernière gerbe fauchée sera accrochée au-dessus du seuil, comme porte-bonheur. Du colza et du tournesol on extraira l'huile. Le maïs, cueilli un peu plus tard, servira à la nourriture des hommes et des animaux. Dans certaines régions, on cultive encore l'épeautre, le millet ou le sarrasin, des céréales très appréciées mais qui tendent

à disparaître au profit des cultures intensives. Tête au soleil et pieds dans l'eau, le riz est la céréale la plus cultivée au monde. Depuis 7 000 ans, elle nourrit une bonne partie de l'humanité. Au nord, sur la toundra, c'est un festival éphémère de plantes et de fleurs. Les oiseaux reviennent du sud. Les rennes remontent vers les landes grises. Les animaux qui ont hiberné se courtisent, se fécondent, puis élèvent en hâte leurs rejetons. Tous les 4 ans, le lemming (en haut, à gauche),

un petit rongeur d'Europe du Nord, vit un véritable boom démographique. Le renard polaire (ci-dessous), qui s'en nourrit, en profite pour agrandir aussi sa famille. Tous, comme le lièvre arctique (à gauche), quittent

leur robe d'hiver que les prédateurs confondent avec le paysage de neige, pour un pelage fauve mieux adapté aux couleurs de l'été.

25

LES FÊTES D'AOÛT

rituelles au cours desquelles les esprits tutélaires des ancêtres souhaitent paix, chance et prospérité à leur descendance.
Au Nigeria, le dernier jour du mois est voué à **Eyo**, le dieu de la justice

C hez les anciens Celtes, le premier jour du mois d'août, ou *Lugnasad*, était dédié à Lug, dieu aux multiples talents (à la fois forgeron, agriculteur, charpentier, guerrier, médecin, barde) qui laissa son nom à la ville de Lyon (Lugdunum). Après l'avènement du christianisme, cette célébration païenne de la prospérité devint une fête des moissons, qui s'est perpétuée en Irlande : ce jour-là, on se réunit pour récolter les baies sauvages sur les collines et l'on pique-nique joyeusement. À l'autre bout du monde, le début du mois d'août est marqué au Laos par la **fête des Morts** (en haut) : dans chaque village se déroulent des danses dont l'effigie (à droite, en haut) est promenée dans les rues de Lagos pour ramener la clairvoyance et la sérénité dans les esprits.
La fête de l'**Assomption**, fixée au 15 août, célèbre la glorieuse résurrection et le miraculeux transfert du corps terrestre de la Vierge (ci-dessus), réuni

à son âme céleste et ainsi exempté du péché originel. Souvent marquée par des processions, cette fête correspond à un dogme fondamental pour les catholiques, qui se réfère à la fois à la sanctification de la maternité et à la promesse d'une résurrection physique. À Tlaxcala, au Mexique, on célèbre l'Assomption par une procession solennelle à travers les rues ornées de motifs réalisés en pétales de fleurs ou en sciure de bois colorée. Une **course de taureaux** (page de gauche, en bas) complète les festivités. Chaque année, le 16 août, la ville de Sienne, en Toscane, vit au rythme du Palio delle Contrade, course équestre échevelée disputée sur la piazza del Campo par les champions des différents quartiers en costumes Renaissance. Enfin, le 8 août, le temps des récoltes s'ouvre au Japon par la fête du **Nobuta** : on jette à l'eau les images des esprits du sommeil (ci-dessous) afin que chacun montre plus d'ardeur au travail.

L'ÉVÉNEMENT DU MOIS EN FRANCE

Août 843 : les frères ennemis se réconcilient. Depuis dix ans, la haine gouvernait tout. Rois déchus, batailles sanglantes, peuples en rage : les petits-fils de Charlemagne luttaient pour la succession. Le traité de Verdun calme les rancunes. Mais il fait plus : en partageant l'empire en trois royaumes, il jette les bases de ce qui deviendra l'Allemagne et la France.

Le fils de Charlemagne, Louis le Pieux, contrôle mal le vaste empire dont il a hérité. En juillet 817, il règle sa succession par un *ordinatio imperii* : son fils aîné, Lothaire, devient co-empereur tandis que les 2 cadets se voient attribuer des parties du royaume : Pépin reçoit la Bourgogne-Aquitaine et Louis la Bavière. Mais voilà que Louis le Pieux, devenu veuf, décide de se remarier et choisit la belle Judith. En 823, elle lui donne un enfant, Charles. Le vieux père, qui adore son jeune fils, prête trop l'oreille aux conseils de son intrigante épouse. En 829, il rogne l'héritage de ses autres fils et offre à Charles des provinces germaniques, l'Alsace, une part de la Bourgogne. Lothaire est exilé en Italie. Rien n'est trop beau pour Charles : en 832, Louis le Pieux bataille contre son fils Louis, qui convoite l'Alémanie, possession du benjamin. Puis

il prononce la déchéance de Pépin pour pourvoir son favori. Les fils lésés se révoltent et destituent leur père en faveur de Lothaire, puis restaurent Louis le Pieux. La suite est une longue histoire d'alliances vite rompues où la monarchie s'étiole au profit de barons frondeurs. Pépin meurt en 838. À la mort du père en 840, la lutte s'intensifie. Louis se rallie à Charles contre Lothaire. Les 2 camps s'affrontent lors de l'atroce bataille de Fontenoy-en-Puisaye. C'en est trop. En août 843, l'empire est coupé en 3 :

la Francie orientale est confiée à Louis dit, dès lors, le Germanique. La Francie occidentale revient à Charles le Chauve. Lothaire reçoit l'étroite bande de terre entre les 2, promise à la fragmentation, zone périlleuse des frontières.

" Ce silence qui plane
c'est un aéroplane

rien ne frémit hormis
une armée de fourmis

cœur de l'été prodigue
ouvert comme une figue **"**

DANIEL LANDER